펠라치오 가이드북을 쓰며 -

펠라치오(Fellatio)는 많은 사람들이 어려워하는 섹스 테크닉이지만 이를 잘 이해하고 응용하는 사람에게 펠라치오를 받으면 고급 섹스 테크닉으로 얻는 쾌감보다 펠라치오의 쾌감을 더 좋아하게 될지도 모른다.

아쉽게도 펠라치오는 "들인 노력에 비해 결과가 좋지 않다"라는 평가가 많다. 포르노적인 연출을 그대로 따라 하려는 경향 때문에 점점 비효율적으로 하게 되고, 입과 턱의 뻐근함을 참아가며 열심히 펠라치오를 했지만 크게 감흥이 없는 파트너를 보면 자신감은 낮아진다. 이는 정작 펠라치오가 어떤 것인지 잘 모르고 있기 때문에 발생하는 악순환이며 당신을 소극적이게 만들 뿐이다.

펠라치오에 어려움이 있거나 더 잘 하고 싶은 사람을 위해 집필한 <HOW TO | 펠라치오>는 기존 출시된 펠라치오와 관련된 저작물과 다르게 정통 성 의학과 해부생리학적인 기초 이론을 손쉽게 풀이하며, 체계적으로 펠라치오 테크닉을 배우고 싶은 사람은 물론, 더 높은 수준의 테크닉을 구사하고 싶은 사람에게 도움을 준다.

이 책에 담긴 내용과 방법을 충분히 숙지하여 파트너에게 훌륭한 쾌감을 선사해 보자.

CONTENTS

자지와 보지

<HOW TO | 펠라치오>에는 보통의 성 관련 저작물과 다르게 자지 혹은 보지라는 단어가 자연스럽게 등장한다.

자지와 보지는 순 우리말임에도 불구하고, 남녀의 성기를 비속하게 일컫는 말로 알려져 있다. 이는 한자어인 음경이나 성기는 점잖은 말로 여기면서 우리 말은 비속한 말로 여기는 사대주의적 관점 때문으로 보여진다.

자지와 보지는 우리 성기를 말하는 가장 적확한* 표현이자 단어다. 따라서 우리는 자지와 보지라는 말을 일상에서 편하게 사용 할 수 있어야 하며, <HOW TO | 펠라치오> 가이드북은 자지와 보지를 다른 단어로 대체하지 않았다.

단, 자지와 보지는 우리의 성기 전체를 지칭하는 단어이기에 해부학적으로 정확한 세부 부위를 지칭할 때는 음경, 음경뿌리, 음경해면체, 고환 등의 용어를 사용했음을 미리 알린다.

* 적확하다 - 정확하게 맞아 조금도 틀리지 아니하다.

펠라치오

01

펠라치오

입은 우리가 본능적으로 또는 의식적으로 사용하는 신체기관이다. 음식물의 섭취뿐만 아니라 대상을 인지하기 위해 구강 근육을 움직여 목적하는 대상을 느낀다. 물리적인 공격을 가하거나 언어적인 표현과 소통을 하기 위해서도 우리는 매일 입을 사용한다.

자지나 보지를 의식적으로 움직여 성적 자극을 주고받는 것은 입을 사용하는 것보다 상대적으로 어렵다. 의지에 따라 자유롭게 움직일 수 있는 구강 근육에 비해 성근육은 원하는 만큼 움직이기 힘들기 때문이다. 그래서 펠라치오는 적은 노력으로 큰 효과를 얻을 수 있으며 삽입 섹스와는 다른 쾌감을 줄 수 있다는 장점이 있다.

펠라치오를 잘하려면 최고의 펠라치오가 무엇인지 파악해야 하고 이를 본보기로 삼는 것이 좋다. 1장에서는 수련자의 롤 모델을 제시하기 위해 펠라치오가 무엇인지 살펴보기로 한다.

펠라치오란 무엇인가?

펠라치오는 입술, 혀, 구강 점막, 목구멍 등을 사용하여 자지에 성적 자극을 주는 행위로,[1] '흡입하다'라는 뜻을 가진 라틴어에서 유래했다.

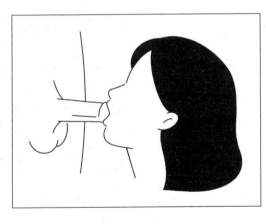

삽입 섹스 전 전희* 혹은 삽입 섹스 중간에 자극의 변화를 주기 위한 방법으로 펠라치오를 한다. 펠라치오를 받는 남성은 오르가즘과 사정을 경험할 수 있다.[2, 3]

* 전희 : 삽입 섹스 전에 하는 애무

호모포비아*를 가진 문화권이나 대중은 펠라치오를 여성의 전유물로 오해하지만, 펠라치오는 성별 구분 없이 누구나 할 수 있는 섹스 테크닉이다.

* 호모포비아 : 동성끼리의 성적 행위, 사랑 혹은 존재 자체에 대한 혐오, 경멸, 거부 등의 부정적인 감정과 태도, 행동을 아우르는 표현

펠라치오의 유리함과 불리함

질 근육과 골반부의 움직임을 수련하는 것보다 구강 내부 기관을 수련하는 것이 더 쉽기 때문에[4, 5] 펠라치오는 누구나 쉽게 익힐 수 있는 섹스 테크닉이며 효과 또한 확실하다.

단, 인두반사* 가 쉽게 일어나거나 이를 극복하기 어려운 사람은 일부 펠라치오 테크닉을 익히기 어려울 수 있다.

* 인두반사 : 입천장, 목구멍 뒤쪽을 자극할 때 반사적으로 근육 수축이 일어나는 현상

펠라치오가 어려운 이유

▶ 처음은 항상 어렵다

펠라치오를 처음 접하는 사람은 당연히 펠라치오에 대한 지식과 경험이 부족해 파트너를 만족시킬 자신감과 여유가 없고, 이로 인해 펠라치오를 받는 사람이나 하는 사람 모두 처음부터 감흥을 느끼기 어렵다. 이를 인정하고 좀 더 효과적인 펠라치오를 위한 학습과 실천을 반복하여 이전보다 나아지면 된다.

▶ 강한 자극과 무덤덤한 반응

단순히 자지를 입에 넣어 왕복한다고 해서 좋은 게 아니다. 오히려 적절하지 않은 자극은 파트너에게 통증이나 불쾌감을 유발하기도 한다. 성적 경험이 처음인 파트너라면 미숙함에서 오는 실수나 시행착오로 생각할 수 있지만 그게 아니면 반드시 고쳐야 한다.

펠라치오를 못하는 원인은 자지의 성적 자극에 대한 실전 지식이 없는 것도 한몫하지만, 강한 흡입, 빠른 왕복운동, 과장된 동작과 소리 등 성적 판타지를 충족시키는 데에 초점이 맞춰진 포르노의 테크닉을 따라 하려는 경향 때문이다.

포르노에 빠진 남성은 펠라치오를 떠올릴 때 자지를 쥐어짜는 듯한 강한 흡입과 빠른 왕복운동, 딥스로트*를 떠올린다. 이를 파트너에게 그대로 요청하면, 이렇게 하는 게 좋은 펠라치오라 생각하고 그것만 신경 쓰게 된다.

* 딥스로트 : 목구멍 깊이 자지를 넣는 응용 테크닉

물론 자신의 성적 역치*값이 높고 강한 흡입에 의한 성적 자극을 좋아한다면 위와 같은 방식이 맞을 수 있지만 그렇지 않은 대다수의 남성에게는 한계가 있고 펠라치오를 하는 사람도 힘들기만 할 뿐 재미가 없다.

* 역치 : 역치는 생물학적 용어로, 어떠한 자극이 체내에서 반응을 일으키기 위한 최소한의 자극 크기 값. 역치값이 높으면 동일한 자극에도 반응이 없거나 약하고, 역치값이 낮으면 동일한 자극에 대해 반응이 강하게 나타난다.

가장 큰 문제는 펠라치오를 받는 남성의 소극적인 표현이다. 솔직한 반응을 보이는 남성도 있지만, 대부분이 펠라치오를 받는 내내 신음도 내지 않거나 혹은 파트너를 배려하기 위해 오히려 남발하기도 한다. 자신이 받은 펠라치오가 어땠는지 말하지 않으면 펠라치오를 하는 사람은 파트너의 반응에만 의존해서 스스로를 판단해야 한다.

그렇게 시간이 흘러 여러 가지를 시도하고 경험도 쌓여서 어느 정도 펠라치오를 할 수 있게 되겠지만, 대부분은 자신감이 결여되어 있거나 파트너와 나 자신 모두 만족할 만한 성과를 얻지 못한다는 고민을 가지게 된다.

▶ **남성도 모르는 좋은 펠라치오**

- 적당한 흡입과 마찰

입으로 흡입 또는 음압* 을 가한다는 것은 구강의 점막과 자지에 밀착감을 높이고 자지로 유입되는 혈류량을 증가시키며 음압의 강도에 의한 모든 성적 자극을 유도하는 것을 말한다.

* 음압 : 내부 압력이 외부 압력보다 낮은 상태

성적 자극의 대부분은 피부 마찰 자극에 의해서 일어나며, 마찰 자극을 극대화하려면 피부와 피부를 최대한 밀착시키는 것이 핵심이다. 펠라치오의 핵심요소는 흡입(밀착)과 왕복운동(마찰)으로 자위 등의 성적 자극에 익숙한 남성이 펠라치오를 받을 때 구강의 흡입력과 왕복운동을 원하는 건 자연스러운 일이다. 단, 자지의 감각이 둔한 남성을 제외하고 너무 센 흡입이나 과격한 왕복운동은 오히려 역효과가 난다.

과격한 왕복운동은 밀착감을 감소시켜 구강 내에 삽입된 자지와 구강 점막 간에 공간이 생기면서 마찰력이 감소하며, 실수로 치아가 자지를 자극하여 고통을 느낄 수 있다. 세게 흡입하는 것 또한 고통을 줄 수 있어 조심해야 한다.

- 혀의 움직임

펠라치오를 받는 사람과 하는 사람 모두 혀의 움직임에 집중하는 경험이 드물고, 이를 친절하게 알려주는 매체도 없기 때문에 혀로 느끼는 자극을 설명하기가 어렵거나 정확하지 않다. 그래서 받는 사람은 원하는 것을 어떻게 말해야 하는지, 하는 사람은 어떻게 해야 할지 잘 모르는 경우가 많다. 하지만 혀가 주는 다채로운 느낌을 경험한 남성은 파트너가 펠라치오를 할 때 왕복운동도 좋지만 혀를 더 적극적으로 사용하길 원한다.

- 미식과 섹스

맛있는 음식을 좋아하는 일반인과 음식을 느끼고 즐기고 평가하는 미식가의 수준은 그 깊이가 다르다. 특히 미식가는 그 음식을 어떻게 만드는지에 대해 이해를 하고 있어 요리도 일반인보다 잘하는 경우도 많다. 섹스도 이와 비슷하다. 섹스를 즐기고 깊이 탐구하는 사람은 훨씬 적고, 펠라치오를 섬세하게 느낄 수 있는 능력을 갖춘 사람은 더욱 드물다.

하지만 섹스 '미식가'라고 불리울 정도의 깊이가 있는 사람을 만나거나 당장 그러한 실력을 갖추는 것은 현실적으로 어렵다. 그래서 펠라치오를 하는 사람과 받는 사람 모두 좋은 펠라치오를 경험하기 위해 다음과 같이 현실적인 가이드라인을 제시한다.

✓ 펠라치오를 받는 사람은

- 자신의 성감을 개발하자.
- 다양한 펠라치오 경험을 가져보자.
- 파트너가 펠라치오를 해줄 때의 느낌을 충분히 즐기되, 잘 기억했다가 좋았던 점과 좋지 않았던 점을 파트너에게 담백하게 말하자.

✓ 펠라치오를 하는 사람은

- 펠라치오를 하는 동안 파트너와 교감하며 반응을 살피고 그에 따라 유동적으로 대응한다.
- 파트너에게 펠라치오에 대한 피드백을 듣고 반영한다.

Tip!

성적 자극을 인지하고 받아들이는 부위의 민감성을 '성감'이라고 한다. 성감을 개발한다는 것은 해당 부위의 역치값을 낮춰서 민감도를 올림으로써 성감을 올린다는 뜻이다. 성감 개발에 대한 자세한 내용은 <HOW TO | 성감 개발>에서 다룬다.

자지 바로 알기

02
자지
바로 알기

지피지기면 백전백승. 자지의 구조를 알아야 좋은 펠라치오를 구사할 수 있다. 물론 파트너의 성감대와 자극하는 방법만 안다면 어느 정도 괜찮은 펠라치오를 할 수 있지만, 파트너의 반응을 섬세하게 읽고 차별성을 갖추려면 기본적인 지식을 갖추는 게 좋다.

자지의 해부생리학적 구조

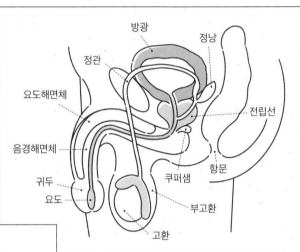

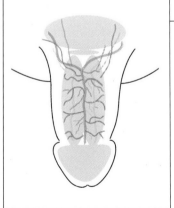

자지는 크게 귀두와 음경으로 이루어져 있으며, 귀두는 성적 자극을 받아들이는 수많은 신경 말단이 모여 있고, 음경은 성적 자극에 대한 감각 수용체 말단이 적지만 넓게 퍼져있다.[6]

그림처럼 귀두에 있는 신경 말단 뭉치의 줄기가 음경을 통해 신경 회로 형태로 이어지기 때문에 음경에서도 성적 자극을 느낄 수 있다. 사람마다 성감의 민감도가 다르고, 남성 스스로 성감을 더욱 민감하게 개발할 수도 있으며 파트너의 테크닉에 따라 충분한 자극과 쾌감을 느낄 수 있다.

▶ 음경과 발기

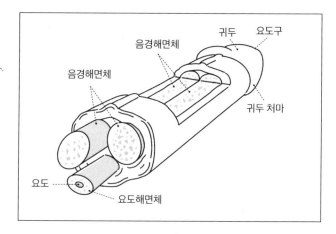

음경은 2개의 음경해면체와 1개의 요도해면체로 구성되어 있으며
성적으로 흥분하면 혈관내피세포*의 산화질소* 생성과 cGMP-PKG
기전*의 활성으로 인해 혈관평활근세포*의 이완과 혈관확장이 일어
나 동맥 혈류량 공급이 증가하여 음경해면체에 공급되는 혈액 또한
증가하면서 발기된다.

* 혈관내피세포 : 혈관의 가장 안쪽 벽면을 구성하는 세포

* 산화질소(Nitric Oxide, NO) : 기체성 세포 신호 전달 분자로, 세포 내 여러 기전의
                          활성을 유도

* cGMP-PKG기전 : 혈관의 확장과 수축을 조절하는 핵심 작용 기전으로, 혈
                관평활근세포의 수축과 이완을 조절하고, 혈관내피세포
                에서 발생한 산화질소가 혈관평활근세포로 유입되면서
                cGMP기전을 활성화시켜 혈관평활근세포의 이완을 유도

* 혈관평활근세포 : 혈관내피세포를 둘러싸고 있는 평편한 모양의 근육세
                포. 혈관의 수축과 이완을 조절

음경은 치골이 접하는 부위 안쪽까지 해면체가 길게 이어져 발기 전
후로 음경 길이의 차이가 큰 사람이 있다. 하복부 특히 치골 부위에
피하 지방이 늘면 삽입 섹스에 쓰이는 음경 길이가 줄어든다.

발기는 자지의 각도와 음경해면체 부피 확장으로 인해 정맥이 막히
면서 유지된다. 방광에서 이어지는 요도의 길목이 막히고 전립선에
서 요도와 정관이 이어지는 길만 열리기 때문에 완전히 발기된 상황
에서는 오줌을 싸지 못하거나 싸기 어려워진다.[6]

성적 흥분이 해소되어 이완기에 들어서면 막혀 있던 음경 정맥이 풀
리고 음경해면체에 차 있던 혈액이 빠지며 발기가 풀린다.

▶ 음낭

음경 아래에 있는 주름에 쌓인 주머니 모양으로, 흔히 불알이라고 불린다. 고환과 부고환으로 구성되어 정자와 성호르몬의 생산을 담당하는 내분비샘이면서 외분비샘이다.[6] 신경 말단과 감각 수용체가 있기 때문에 음낭과 회음부를 거쳐 항문까지 이어지는 영역의 성감대 중 빼놓을 수 없는 부위다.

▶ 배뇨 및 사정관

Tip!

여성은 성 관련 분비샘과 배뇨관이 분리되어 있지만 남성은 하나로 합쳐진다.

남성 성 기관은 정관과 요도로 나누어진다. 정관은 고환과 부고환에서 시작되는 관으로 정자를 수송하는 기능을, 요도는 오줌을 배출하는 기능을 담당한다.

정관은 요도와 합쳐지는데, 전립선을 지나 음경으로 가는 요도부터는 성적으로 흥분했을 때 쿠퍼액 분비의 통로와 정액을 배출하는 통로를 겸한다.

▶ 성 관련 분비선

요도와 정관이 합쳐지는 곳에 전립선이 있다.[6] 전립선은 호두알만한 크기와 모양으로, 항문에 손가락을 넣으면 만져지는데 신경 말단 조직이 분포하고 있어 자극을 통해 전립선 오르가즘을 느낄 수 있다.[7]

전립선은 정자가 질 및 자궁에서 생존하고 움직일 수 있게 돕는 영양 성분 및 윤활 성분, 산성도 중화 성분 등을 만들고, 이는 정액의 약 30%를 이룬다.[6]

전립선 밑에 있는 쿠퍼선은 남성이 성적으로 흥분했을 때 요도 및 귀두의 윤활 작용을 위해 미리 쿠퍼액을 분비한다. 쿠퍼액은 윤활 작용을 위한 분비선액이며 정자가 없다.

성 반응에 따른 남성 성 기관의 변화

성의학 박사 마스터즈와 존슨의 연구에 따르면 인간의 성 반응은 크게 4가지 단계인 흥분기, 고조기, 절정기, 이완기로 나뉜다. 개인의 성적 능력이나 그래프의 형태는 조금씩 다를 수 있지만 성 반응 주기의 원리는 대부분 크게 벗어나지 않는다.[6]

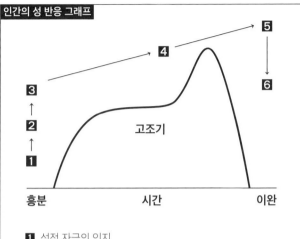

인간의 성 반응 그래프

고조기

흥분　　　시간　　　이완

1 성적 자극의 인지
2 음경으로 혈류 유입, 성적 흥분 증가, 귀두 색 변화
3 발기의 완성
4 쾌감 증가, 유두 및 유륜 색 변화
5 괄약근, 자지 근육, 방광, 전립선의 급격한 수축과 이완 반복,
　　옥시토신 증가, 페닐에틸아민의 폭발적 분비
6 음경 크기 회복, 혈류량 저하, 성적 흥분 감소

▶ 1단계 - 성적 흥분기

성적인 흥분기에 이르려면 흔히 '스위치가 켜진다'고 표현하는 조건
을 만족해야 한다. 스위치가 켜지면 그 후로 느껴지는 자극은 성적
자극으로 변한다. 귀두 혹은 젖꼭지처럼 성적 자극에 특화된 부위는
스위치에 대한 역치가 낮아서 성적 의도가 없는 자극이어도 성적 자
극으로 느낀다고 생각하지만, 그전에 이미 성적 자극을 받아 흥분기
로 전환된 상태로 봐야 한다.[6]

아무리 민감한 성감대라도 뇌에서 성적인 전환이 되지 않으면 흥분
이 일어나지 않는다. 특정 상황이나 사물 같은 정신적인 자극으로만
성적 흥분을 가지는 성향의 사람들이 이를 뒷받침할 수 있는 예시
다.

▶ 2단계 - 성적 고조기

성적 자극으로 도파민*의 분비가 늘어나면 흥분의 정도가 오르며 성적 쾌감을 유지하는 단계에 이르는데, 이를 성적 고조기라고 한다. 성적 고조기를 유지하는 시간과 받아들일 수 있는 쾌감의 정도는 사람마다 다르다.

* 도파민 : 신경 회로의 신호를 전달하는 신경전달물질 중 하나로 보상과 학습, 욕망, 쾌락, 동기부여, 운동 신경의 발달에 깊게 관여한다.

신경 자극을 제어하는 세로토닌*이 성적 고조기를 길게 이끌면, 도파민 분비에 이어 페닐에틸아민*이 분비되는데, 페닐에틸아민의 분비는 도파민의 분비와 민감도를 높여 더 깊은 성적 흥분에 빠지게 한다.[6]

* 세로토닌 : 평온과 안정의 신경전달물질로 신체 기관의 발달에도 밀접한 관련이 있으며 공격적인 언행을 억제하고 불안 해소, 행복감 증대를 유도한다. 성적 흥분과 고조기에 도파민에 대한 흥분과 성반응의 극치를 기능적으로 조절하거나 억제해주는 역할을 한다.

* 페닐에틸아민 : '에로스의 호르몬'이라고 불리는 신경전달물질로 이성적 사고를 억제하고 욕망 충족에 대한 신경 활성을 급상승 시킨다. 초콜릿 등의 음식에도 들어있다.

▶ 3단계 - 성적 절정기

사정할 정도의 성적 자극을 받아 고조기를 유지하는 역치값을 넘기면 절정기로 넘어간다. 이때 오르가즘이라고 불리는 성적 극치감과 함께 근육은 빠르게 수축과 이완을 반복하고 남성은 사정한다.[6]

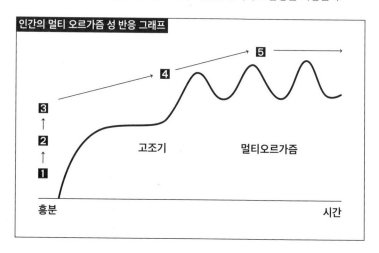

이때, 수련으로 비사정 오르가즘(접이불루)이나 전립선을 통한 드라이 오르가즘 혹은 멀티 오르가즘까지 느낄 수 있고, 이 경우 성적 해소기 없이 다시 성적 고조기로 돌아가거나 1차 오르가즘보다 높은 성적 고조기에 이르는 걸 그래프로 볼 수 있다.

▶ **4단계 - 성적 해소기**

해부생리학적 차이로 여성은 남성보다 해소기가 훨씬 길다.[6]

대부분의 남성은 오르가즘과 함께 사정 후 성적 해소기를 겪는다. 해소기를 겪는 동안 성적 자극에 대한 역치값이 높아져 성적 자극을 인지하지 못하거나 반응하지 못하는 무반응기를 함께 겪는다.

또한 뇌에서는 도파민의 분비가 줄어드는 동시에 재흡수가 일어나며 세로토닌의 분비가 늘어나 마음은 평온해지고 몸에는 긴장과 힘이 풀린다. 섹스 도중 성적인 만족도가 높을수록 해소기에서 세로토닌이 많이 분비되어 깊은 잠에 들기도 한다.[6]

성적 자극을 줄 때 파트너의 성적 반응의 정도를 살피는 것은 매우 중요하다. 파트너의 몸짓이나 신음으로도 흥분의 정도를 파악할 수 있지만 성 반응 단계에 따라 변하는 자지를 눈으로 파악할 수 있으면 더욱 섬세하고 전문적으로 성적 자극을 줄 수 있다.

1 흥분이 시작될 때

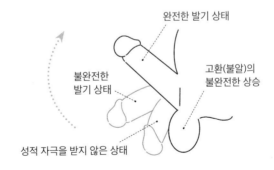

완전한 발기 상태

불완전한
발기 상태

고환(불알)의
불완전한 상승

성적 자극을 받지 않은 상태

성적 흥분기에 이르면 자지가 발기한다. 발기의 정도는 성적으로 흥분한 정도와 비례한다. 성적 흥분이 완전히 이루어지면 그림과 같이 자지도 완전히 발기하며, 이때 음경해면체의 정맥과 방광으로 연결되는 요도가 막힌다. 음낭 역시 긴장하며 부분적으로 몸 쪽에 붙는다.[6]

2 **흥분이 고조될 때**

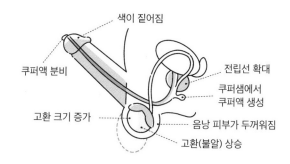

색이 짙어짐

쿠퍼액 분비

전립선 확대

쿠퍼샘에서
쿠퍼액 생성

고환 크기 증가

음낭 피부가 두꺼워짐

고환(불알) 상승

성적 고조기에 이르면 혈액이 음경해면체로 과하게 유입되어 음경, 귀두의 색깔이 진해진다. 음낭은 몸 쪽으로 더 붙고 내부의 고환과 부고환, 전립선의 크기가 커진다. 쿠퍼선액이 분비되고 피부 두께도 두꺼워지는데 그 과정에서 피부가 긴장해 성적 자극을 더욱 민감하게 받아들인다.[6]

자지 다루기의 달인 되기

펠라치오로 오래 자극을 주려면 성적 고조기를 최대한 길게 유지하는 것이 중요하다. 사정감이 들기 전에 자극의 강도를 줄이거나 풀어주는 등 섬세한 기술이 필요한데 이때 성적 고조기에서 파트너가 사정감을 느끼는 낌새를 날카롭게 알아채는 것을 연습해야 한다.

성 반응에 따른 변화를 실제 파트너와 비교하며 내가 주는 자극으로 파트너가 어떻게 반응하는지 주의 깊게 살피며 경험을 쌓다 보면 여유롭게 파트너의 자지를 가지고 노는 자신을 발견할 수 있다.

3 **절정으로 넘어갈 때**

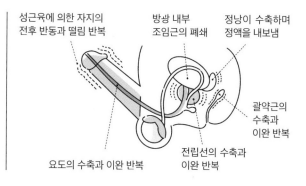

성근육에 의한 자지의
전후 반동과 떨림 반복

방광 내부
조임근의 폐쇄

정낭이 수축하며
정액을 내보냄

괄약근의
수축과
이완 반복

요도의 수축과 이완 반복

전립선의 수축과
이완 반복

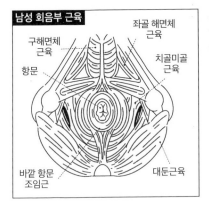

남성 회음부 근육

좌골 해면체 근육
구해면체 근육
치골미골 근육
항문
바깥 항문 조임근
대둔근

고조기에서 사정하기 직전, 음낭이 몸에 완전히 붙을 만큼 발기된 상태라도, BC근육(Bulbocavernosus muscle)의 1차 수축에 의해 음경해면체로 동맥 혈액이 과하게 유입되어 순간적으로 더 굵어진다.

이후 절정기에서 오르가즘을 느끼며 사정하는데, 이때 정소와 전립선, 괄약근, 요도, 음경 전체에 스스로 조절할 수 없을 만큼 강한 수축과 이완이 발생한다. 수축과 이완의 빠르기는 0.6초로, 10~15회의 주기를 시작으로 나중에는 0.1초까지 빨라진다.[6]

4 사정 후 이완할 때

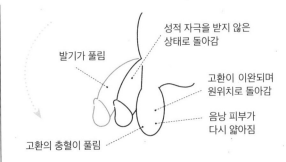

발기가 풀림
성적 자극을 받지 않은 상태로 돌아감
고환이 이완되며 원위치로 돌아감
음낭 피부가 다시 얇아짐
고환의 충혈이 풀림

오르가즘이 끝나고 절정기가 지나면 막혀있던 음경 정맥이 풀리며 음경해면체에 모여있던 혈액이 전신의 혈관계로 분산된다. 동시에 발기가 풀리고 자지의 크기도 원래대로 줄어들며 몸 쪽으로 붙어있던 음낭도 긴장이 풀려 몸에서 떨어진다.

이후 남성은 성적 자극에 반응하지 않는 무반응기를 겪는데, 회복 시간은 연령대와 개인의 건강 상태에 따라 다르겠지만 10~20대 초반은 무반응기가 거의 없고, 20대 중후반으로 넘어가면 30분 이상 걸린다. 30대 이상은 한 시간 이상, 나이가 들수록 하루 이상 걸리기도 한다.[6]

자지의 세부 성감대

펠라치오를 할 때 자지의 세부 성감대를 파악하는 것이 중요하다. 자지 자체가 성감대가 아니냐고 묻는 사람들이 많은데 자지는 여러 부위로 나뉘고, 부위별로 신경의 분포와 민감도가 다르다.

예를 들어, 자위할 때 음경의 중간 부분만 자극한다거나 귀두의 도톰한 부분만 자극한다고 바로 오르가즘을 느끼는 것은 아니다. 상동 기관인 보지 또한 전체가 핵심 성감대지만 아무 곳이나 애무한다고 오르가즘을 느끼지 않는 것과 같다.

펠라치오로 파트너를 만족시키기 어렵다고 느끼는 사람의 대부분은 자지의 세부 성감대를 잘 모른다. 다음에 나오는 자지의 세부 성감대를 파악하고 실전에 적용하면 예전과 다른 반응을 보이는 파트너의 모습을 발견할 수 있다.

▶ 음경소대

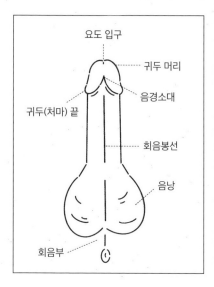

음경소대(Frenulum)는 포피소대로도 불리며 요도의 끝에서 귀두의 뒷면을 지나 포피를 연결하는 끈 모양의 피부조직이다. 인대나 힘줄일 것 같지만 아래로 젖혀진 포피를 되돌리거나 귀두와 연결하는 역할을 한다.

신경 말단이 음경의 다른 부위보다 2배 이상 몰려있어 9배 정도 강한 성적 자극을 느낄 수 있기 때문에 음경소대를 자극하면 빠른 사정과 오르가즘을 느낄 수 있다.

포경수술(포피 환상 절제술)을 받은 남성 중 일부는 수술 중 음경소대가 잘리거나 없어져 감각을 느끼지 못하는데 이는 중요한 성감대를 잃은 셈이다. 그래서 포경수술은 꼭 해야 할 이유가 없다면 권장하지 않는다.[5, 6]

▶ 귀두

핵심 성감대로 잘 알려진 귀두는 신경 말단 조직이 몰려있고 세 가지 부위로 니뉘며, 부위에 따라 느껴지는 자극이 다르다.

- 귀두 머리

귀두 머리는 성적 행위를 할 때 가장 많이 자극하는 부위로, 포경수술을 한 사람과 하지 않는 사람 간의 민감도 차이가 크다. 클리토리스와 상동 기관이지만 그 정도로 민감하지 않다.[5, 6] 성적 쾌감을 얻는 데 있어 중심이 되지만 귀두 머리만 자극한다고 오르가즘을 느끼는 남성은 많지 않다.

남성 대부분이 어릴 때부터 자극적이고 과한 자위와 삽입 섹스로 귀두가 둔해져 있기 때문에 펠라치오와 같이 직접적인 성적 자극을 줄 때 사정하지 않으면서 긴 시간 지속적으로 자극하기 좋은 부위다.

- 귀두 끝

귀두 끝은 포피와 귀두가 접하는 오돌토돌한 부위로 귀두 머리와는 다르게 자극받을 일이 거의 없어 똑같은 강도의 자극을 줘도 더 강한 자극으로 느껴지고 피부 자체가 요철 구조로 되어있어 느낌도 다르다.[5, 6] 강하게 자극하면 통증으로 느낄 수 있으니 강약을 조절한다.

- 요도 입구

요도 입구는 오줌이 나오는 구멍으로 안쪽에 많은 신경이 퍼져있다.[5, 6] 남성 대부분은 요도 입구에 성적 자극을 받아본 적이 없어 물리적인 자극에 민감하다. 파트너가 요도 자위를 즐기지 않는다면, 부드럽고 약한 자극으로 반응을 살핀다.

▶ 음경

음경에 분포된 신경은 전체적으로 넓게 퍼져있어 쾌감의 강도가 상대적으로 약하다. 음경을 자극할 땐 전체적으로 넓게 자극하는 방식이 좋다. 오른쪽 그림(성 기관 관련 신경 해부도)처럼 귀두의 말단 신경은 음경의 신경회로를 거쳐 중추신경으로 이어지기 때문에 귀두나 음경소대와 같은 역치가 낮은 성감대를 자극할 때 음경을 함께 자극하면 남성이 느끼는 쾌감도 더욱 커진다.

음경 아랫면에 위치한 회음봉선은 다른 부분보다 상대적으로 신경 말단이 더 많이 분포되어 있어 성적 자극을 더 민감하게 받아들일 수 있다.[5, 6]

▶ 음낭, 회음부

음낭은 성적 자극을 받아들이는 신경이 많이 분포되어 있는데, 특히 회음봉선에 신경 말단이 많이 모여있어 자극에 더욱 민감하다.[5, 6] 주변의 온도, 흥분 정도에 따라 피부가 수축하거나 이완할 수 있게 주름져있고 그만큼 표면적이 넓어 펠라치오 방법에 따라 다양한 느낌과 쾌감을 줄 수 있다.

회음부는 음낭과 항문 사이에 위치해있으며 음낭과 마찬가지로 말단 신경이 몰려있어 성적인 쾌감을 느낄 수 있다. 한의학에서 중요한 혈 자리로 여겨지는 회음혈은 성 기능을 향상시킨다.[8] 회음부를 혀로 가볍게 자극하거나 압을 주는 방법 모두 성적인 쾌감을 주기 좋다.

Tip!

귀두의 세부 성감대를 알면 오르가즘 직전의 상태를 유지하면서 사정없이 오랫동안 자극할 수 있다. 남성을 오르가즘이나 사정으로 이끌고 싶으면 자지의 다른 세부 성감대와 함께 자극한다.

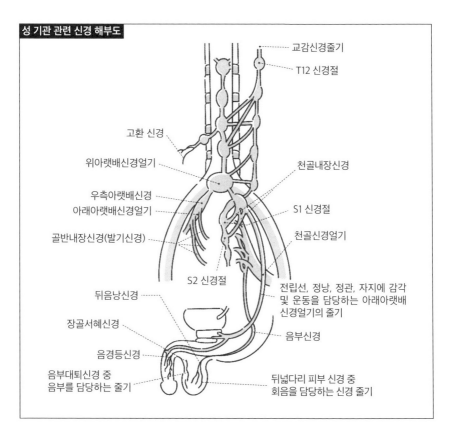

교감신경줄기

T12 신경절

고환 신경

위아랫배신경얼기

천골내장신경

우측아랫배신경
아래아랫배신경얼기

S1 신경절

골반내장신경(발기신경)

천골신경얼기

S2 신경절

전립선, 정낭, 정관, 자지에 감각
및 운동을 담당하는 아래아랫배
신경얼기의 줄기

뒤음낭신경

장골서혜신경

음부신경

음경등신경

음부대퇴신경 중
음부를 담당하는 줄기

뒤넓다리 피부 신경 중
회음을 담당하는 신경 줄기

그림처럼 귀두 및 음경의 배부 신경과 후면 음낭 신경, 회음부 신경, 괄약근 신경은 모두 독립적인 신경 말단 줄기로 성적 자극을 받아들이고, 음부 신경 줄기로 합쳐져 중추 신경을 통해 뇌로 전달된다.[5, 6] 그래서 펠라치오와 동시에 여러 성감대를 자극받는 남성은 각각의 성감대마다 다른 자극을 느끼는 동시에 쾌감도 느낄 수 있다.

정액과 쿠퍼액

정액과 쿠퍼액에 익숙한 사람도 있지만, 잘못된 정보로 선입견을 갖거나 낯설어하는 사람도 있다. 선입견은 섹스를 즐길 수 없게 만든다. 다음 내용에서 정액과 쿠퍼액에 대해 정확하게 알아보자.

▶ 정액

정액은 정자의 생존 및 수정에 필요한 영양물질과 윤활액을 함유한 체액으로 구성되어 있다. 비율로 보면 정자가 2~5%, 정자에 영양을 공급하는 정낭액이 65~75%, 질의 산성을 중화시키고 정자의 운동을 돕는 윤활 성분으로 이루어진 전립선액이 25~30%를 차지한다.[9, 10, 11]

Tip!

정액은 비타민 C와 비타민 B12가 함유되어 있으며 여러 미네랄 성분을 비롯한 영양 성분들이 있어 장기간 섭취 시 노화 억제 및 수명 연장에 도움을 줄 수 있다는 연구 결과가 있다.[11, 12, 13, 14]

1회 사정량은 평균 1.5~6ml 정도로, 정소에 저장된 정자를 모두 사정한 후 다시 생산하는데 72시간의 시간이 걸린다.[9] 건강한 성인의 정액은 대부분 pH7.2~8.0(중성에서 약염기성)의 산도를 보이고 2ml당 4천만 마리에서 3억 마리 이상의 정자가 있다. 사정한 지 60분 이내의 검체에서 정자 중 50% 이상이 평균 이상의 전진 운동성을 보이며,[15] 정액 2ml의 열량은 10kcal도 채 안된다.[11] 정액의 화학적 구성 성분은 아래의 표와 같다.[12]

평균 사정액 성분 함량표 (3.4ml 기준)	
칼슘	0.938
염소	4.83
구연산	18.0
과당	9.25
글루코스	3.47
젖산	2.11
마그네슘	0.374
칼륨	3.71
단백질	171
나트륨	10.2
유레아	1.53
아연	0.561

*단위:mg

정액의 색은 사람마다 다르지만 보통 전립선액과 정낭액의 비율에 따라 투명하거나 하얗거나 살짝 누런색을 보인다. 사정한 직후에는 점성이 있고, 20분 이상 방치되면 묽게 풀리며 점성을 잃는다.

정액 특유의 냄새는 전립선액에 포함된 성분 중 스퍼민(Spermin)이 공기 중에 산화되어 나는 냄새로, 갓 사정한 정액은 냄새가 나지 않는다.[16]

구성 성분의 비율에 따라 맛도 달라진다. 약염기성은 쓴맛, 아미노산은 비릿한 맛, 글루코스나 과당은 단 맛을 낸다. 마그네슘이나 아연 등 여러 미네랄은 텁텁한 맛을 내기도 한다. 남성의 건강 상태나 컨디션, 식습관 등에 따라 맛이 변할 수 있으며 정액을 삼키는 사람의 미각에 따라 느껴지는 맛도 다르다.

정액은 기본적으로 무균 상태라서 섭취에 문제가 없지만, 정액을 공급하는 대상이 특정 성 매개 감염 혹은 질환 보균자일 경우 정액을 통해 해당 병원균(세균, 바이러스 등)이 전파될 수 있다.

병원균에 따라 구강을 통해 전파될 확률은 모두 제각각이다. 정액에 병원균이 있어도 기본적으로는 우리 몸의 면역 체계가 방어하며, 구강 점막의 선제 면역 방어체계에 의해 대부분 소멸한다. 하지만, 병원균의 개체 수가 선제 면역 방어 능력을 넘어서는 상황이거나 선제적 면역 체계에 인식이 되지 않는 병원균일 경우 잇몸의 모세혈관이나 구강 점막의 상처를 통해 감염될 수 있다. 그래서 펠라치오와 연계하여 정액을 섭취하거나 입으로 정액을 받으려면 미리 파트너의 건강 상태를 알아두는 것이 좋다.

▶ **쿠퍼액**

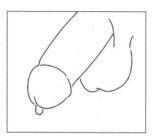

쿠퍼액은 남성이 성적으로 흥분하면 요도의 윤활을 위해 쿠퍼선에서 분비되는 맑고 투명하고 점성이 있는 윤활액이다. 쿠퍼선액으로도 불리며, 영미권에서는 'precum', 문학적으로는 '천사의 눈물'이라고 불린다.

물, 뮤코 프로틴, 산성인산효소와 같은 정액의 구성 물질과 유사한 물질로 구성되어 있고, 요도 및 질의 산성도를 중화시키고 질 내 삽입을 돕기 위한 윤활 작용을 하며 정액의 응집을 돕는다.

쿠퍼액에는 정자가 없다. 다만, 요도구를 통해 배출되는 쿠퍼액에 매우 적은 양의 정자가 들어있을 수 있는데, 이는 과거에 사정하며 요도 벽에 붙은 정자가 딸려 나오는 경우다. 정자에 운동성이 있어도 숫자가 적어서 임신 가능성은 희박하지만 사정과 해소기를 한 번 겪은 후 다시 성적 자극을 받아 흥분과 함께 요도를 통해 나온 쿠퍼액 속에는 직전 사정으로 인해 요도에 남아있던 정자가 섞이게 되며, 이는 임신할 수 있는 정도의 양이니 주의가 필요하다.

쿠퍼액은 개인 편차가 크다. 사람에 따라 아주 조금 나오기도 하고, 팬티를 적실 정도로 많이 나오기도 한다. 정액과 마찬가지로 건강한 남성이라면 무균 상태로, 거부감이 들만한 맛이나 향을 가진 성분은 거의 없기 때문에 펠라치오를 하면서 쿠퍼액 때문에 어려움을 겪을 일은 없다.[17]

펠라치오 테크닉

03
펠라치오
테크닉

지금까지 이론을 배웠다면 이제는 실전에 들어갈 차례다. 3장은 펠라치오에 서툰 사람을 위한 기초부터 고급 기술까지 다루고 있다. 섹스에 대한 이해가 충분하다면 이 책을 읽고 따라 하는 것만으로 파트너에게 만족감을 줄 수 있고, 스스로도 자부심과 성취감을 느낄 수 있을 것이다.

기본 테크닉

▶ 사전 준비

우리는 항상 입을 사용하지만, 펠라치오를 할 때의 쓰임과 움직임은 일상생활을 할 때와 다르기 때문에 집중이 필요하다. 그러기 위해서는 불편할 수 있는 요소를 미리 없애는 게 좋다. 다음과 같이 준비해 보자.

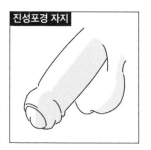

① 함께 샤워하며 파트너의 자지를 씻겨준다. 자연포경의 자지라면 부드럽게 포피를 벗겨 귀두 안쪽까지 씻기고, 진성포경의 자지는 포피를 과도하게 벗기면 통증을 느낄 수 있으니 조심스럽게 포피를 벗겨 씻긴다.

② 펠라치오를 받는 사람은 하는 사람보다 높은 곳에 앉는다.

③ 펠라치오를 하는 사람은 무릎 밑에 방석이나 베개를 받친다.

▶ 호흡법

펠라치오를 할 때 숨쉬기가 서툴러 아예 참아버리는 사람이 많다. 펠라치오는 숨을 편하게 쉬어야 오랫동안 할 수 있다. 아래는 펠라치오를 할 때 쓸 수 있는 여러 가지 호흡법이다.

- 자지를 입에 문 상태로 한쪽으로 공간을 내어 숨을 쉰다.
- 입을 완전히 다물지 않고 입으로, 혹은 입과 코로 숨을 쉰다.
- 숨을 코로 마시고 입으로 뱉는다.

▶ 시선

펠라치오를 하며 눈을 감거나 다른 곳을 보는 사람들이 있는데, 가능하면 가끔 파트너와 시선을 마주치자. 받는 사람은 자지를 빨며 자신을 올려다보는 파트너의 모습에서 성적 흥분을 느끼고, 하는 사람 역시 파트너의 흥분한 표정을 보며 본인이 어느 정도의 성적인 흥분을 주고 있는지 알 수 있고, 그 모습을 보며 같이 흥분할 수 있다.

▶ 치아

그림과 같이 입술로 윗니와 아랫니를 감싼다. 빠르고 거칠게 왕복운동하면 치아가 드러나 상처를 입힐 수 있으니, 치아를 입술로 감싼 뒤 자지를 물고 부드럽게 천천히 왕복운동한다.

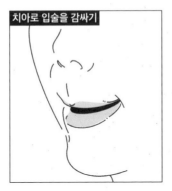

치아로 입술을 감싸기

펠라치오 도중 치아가 자지에 닿지 않게 하는 것은 기본 중의 기본이다. 왕복운동 중 치아가 자지를 긁으면 통증을 느끼게 되어 성감이 확 떨어진다. 이때 받는 사람은 분위기를 깨지 않으려고 아픔을 참는 사례가 많다. 펠라치오가 서툴다는 생각이 든다면 펠라치오를 할 때 파트너에게 자신의 치아가 닿는지 물어보길 바란다.

▶ 혀

펠라치오로 숙련된 혀는 펠라치오를 더욱 완벽하게 만든다. 혀는 본인이 원하는 대로 형태를 바꿀 수 있고, 정교하게 움직일 수 있기 때문에 손가락보다 더 세밀하고 부드러운 자극을 줄 수 있다.

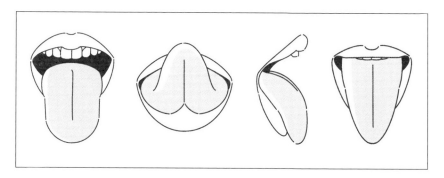

많은 사람이 혀로 핥는다고 생각하면 혀를 통통하게 세워 혀의 끝부분만 사용해 핥는 걸 떠올린다. 이 방법은 파트너에게 강한 자극을 줄 것이라고 생각하기 때문인데, 어떤 상황에서 어디를 어떻게 자극하느냐에 따라 다르다.

위 그림과 같이 다양한 혀 모양으로 자신의 팔 안쪽을 핥아보면 모양에 따라 느낌이 다름을 알 수 있고 이를 이용하여 파트너에게 다양한 자극을 줄 수 있다.

- 혀의 움직임

혀는 여러 개의 근육으로 이루어져 있어 생각보다 힘이 세고, 특히 남성들은 힘을 더 빼는 게 좋다. 손으로 페더터치* 기법을 쓰는 것처럼 혀도 깃털처럼 가볍게 터치하듯 움직여야 한다. 혀끝으로 파트너의 귀두 점막을 스치듯 핥아 올리는 느낌으로 연습하고 점점 자극의 강도를 올리면 된다.

* 페더터치: 손가락 끝으로 깃털처럼 닿을 듯 말 듯 파트너의 피부를 자극하는 애무

포르노에 나오는 연출이나 환상 때문에 혀를 현란하게 움직이면 좋아할 것 같지만, 받는 사람은 쾌감은커녕 오히려 정신 사납고 불쾌하게 느낄 수 있다. 그래서 혀는 한 방향으로 천천히 일정하게 움직이는 것이 좋다.

▶ 충분한 윤활을 위한 침

Tip!

자지를 물고 있는 상태에서 침을 삼키면 혀가 움직이면서 자지를 조여 새로운 자극을 줄 수 있다.

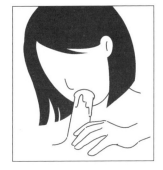

입 안에 침이 충분하게 있어야 부드러운 왕복운동이 가능하다. 침이 흘러넘치는 것에 대해 신경 쓰지 말자. 입과 자지 사이로 흐르는 침이 오히려 시각적으로 성적 흥분을 줄 수 있다. 만약 침이 부족하다면 침대 옆에 물 한 잔을 준비하자.

(2)

초급 테크닉

익숙하지 않아 힘든 동작이 있을 수 있기 때문에 이미지 트레이닝이나 자지의 크기와 형태가 비슷한 딜도로 연습하는 걸 추천한다. 또, 같은 자극이라도 사람마다 다르게 느끼기 때문에 다양한 경험을 하며 숙련도를 쌓는 것을 권장한다.

시동 걸기

모든 전희는 신체의 바깥에서 안쪽으로 진행한다. 외부 자극에 대한 역치가 높은 부위는 신체의 바깥쪽(팔과 다리)에 더 많이 퍼져 있고, 성적 자극을 받아들이는 성감대와 중추신경계는 몸의 안쪽에 있기 때문에 몸의 바깥에서 안쪽으로 서서히 자극을 주며 파트너의 흥분을 올리는 게 정석이다.

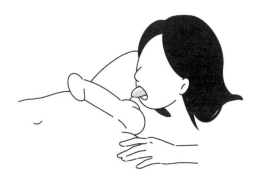

펠라치오도 이와 같다. 혀로 페더터치하듯 파트너의 목선이나 손가락, 발가락 혹은 슬개골이나 오금에서 시작해 배꼽과 골반, 가슴을 지나 허벅지 안쪽과 서혜부를 거쳐 자지로 이동하는 과정은 파트너로 하여금 '다음 순서'에 대한 성적 기대감을 갖게 한다.

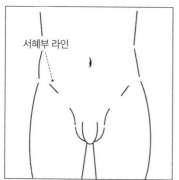

서혜부, 음낭, 회음부 핥기

▶ 서혜부 핥기

서혜부는 많은 신경과 림프절이 퍼져있어 성적으로 민감하다. 혀끝을 뾰족하게 세우거나 옆 날, 앞면을 이용해 바깥에서 안쪽으로 이동하며 알고 있는 모든 기술을 사용해 자극해도 좋다. 단, 체모가 억셀 수 있어 혀 뒷면이 다치지 않도록 조심해야 한다.

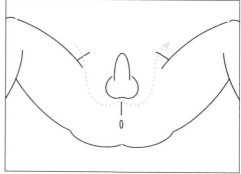

서혜부 라인

Tip!

피부 안쪽을 혀로 넓게 핥으면, 파트너는 따스한 느낌을 받아 심리적으로 안정된다. 동작을 반복할수록 자극이 쌓여 쾌감이 온몸으로 퍼지게 만들어 준다.

다음은 서혜부를 자극할 때 참고할 수 있는 방법이다.

① 혀를 넓게 편다.
② 사타구니에서 음낭이 시작되는 안쪽까지 혹은 회음부에서 서혜부가 시작하는 지점까지 일정한 속도로 핥는다.
③ 서혜부 시작점까지 왔으면 원위치로 돌아가 같은 동작을 반복한다.
④ 자지의 반응을 보며 반대쪽 서혜부 라인도 같은 방식으로 혀로 핥아 올라간다.
⑤ 파트너가 흥분하기 시작하면 혀를 뾰족하게 세워 강도를 올린다.

▶ 음낭 핥기

음낭은 아래로 튀어나와 있으며, 다른 신체 부위에 비해 온도가 낮아 혀의 따뜻함과 부드러움을 아주 잘 느끼기 때문에 금세 흥분하게 되고, 구조상 펠라치오를 하는 사람은 받는 사람보다 아래에 위치하게 되어 받는 사람으로 하여금 묘한 기분을 느끼게 만든다.

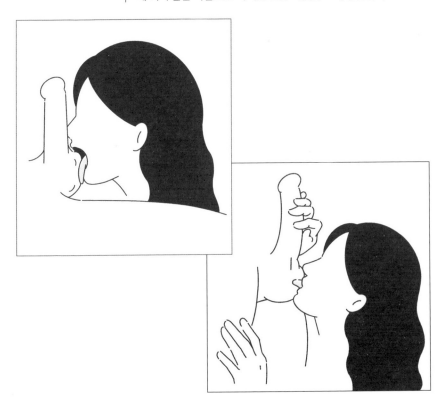

① 만약 음낭이 오그라든 상태라면 잠시 동안 혀로 감싸 온기를 준다.
② 최대한 넓은 면적을 한 방향으로 부드럽게 핥아 올린다.
③ 반대편 음낭도 똑같이 핥아 올린다.
④ 그림과 같이 혀의 끝이나 옆 날로 음낭의 주름을 따라 핥는다.
⑤ 음낭 아래의 회음봉선을 혀끝으로 핥아 올린다. 이때 회음봉선을 따라 귀두까지 핥는다.

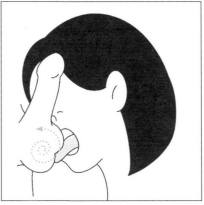

⑥ 음낭을 정면뿐만 아니라 옆에서도 핥아보자. 그럴 땐 얼굴이 자지와 직각으로 틀어지기 때문에 위 왼쪽 그림처럼 손으로 음경을 잡아 빨거나 핥는 동작으로 연결할 수 있다.

⑦ 고환을 중심에 놓고 혀를 돌리는 동작을 통해 혀의 앞면, 옆 날, 뒷면의 느낌을 동시에 줄 수 있다. 혀끝으로 작게 원을 돌리는 것도 좋지만, 혀를 길게 빼서 혀의 중간쯤에 고환이 닿을 만큼 크게 돌리면 더 효과적이다.

⑧ 음낭 가운데까지 이어진 회음봉선에도 신경이 몰려있어 이 부위를 혀로 핥으면 강한 성적 쾌감을 느낀다. 회음부의 회음봉선을 핥는 것처럼 혀끝이나 혀 옆 날로 부드럽게 자극한다.

▶ 회음부 핥기

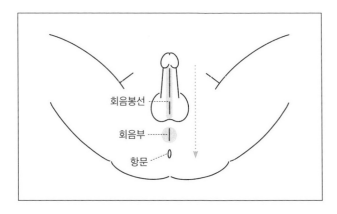

회음부는 몸의 가장 안쪽에 있어 이를 자극하려면 파트너를 눕힌 상태로 다리를 활짝 들어 벌리게 하거나 후배위 자세를 하게 한다. 파트너는 수치감으로 인한 성적 흥분을 느끼고, 하는 사람은 파트너에게 수치감을 주거나 정복한다는 심리적 흥분을 느낄 수 있다. 음낭을 자극할 때와 상황이 바뀌는 것이다.

회음부와 회음봉선에는 신경이 모여있어 성적 민감도가 강하다. 혀로 자극할 때는 음낭이나 회음부를 모두 자극하고 나서 회음봉선을 나중에 자극하는 것이 좋다. 파트너를 빨리 흥분상태로 만들고 싶다면 혀끝을 세워 회음봉선을 바로 핥는다.

① 혀끝으로 꾹꾹 눌러주듯 회음부를 누르거나 회음부를 누른 상태로 원을 그리며 핥는다.
② 좀 더 강렬한 자극을 주기 위해 회음부를 입으로 흡입하여 빤다.
③ 항문을 애무하는 것에 거부감이 없다면 회음봉선을 따라 회음부를 거쳐 항문까지 쭉 핥는다.

자지를 바로 핥는 것도 자극적이지만 뽀뽀하듯이 가벼운 자극을 주는 것도 효과적이다. 다음과 같이 연습하자.

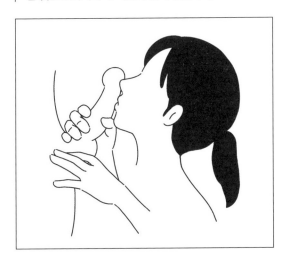

Tip!

파트너가 지배적인 성향이라면, 눈을 맞추면서 자지에 입맞춤을 하면 성적 흥분이 더해진다.

1 아래에서부터 입술로 가볍게 뽀뽀하듯이 올라간다.

2 귀두에 입술을 가볍게 대었다 뗀다.

3 자지에 뽀뽀를 할 때 파트너와 눈을 마주치는 것을 잊지 않는다.

음경과
회음봉선 핥기

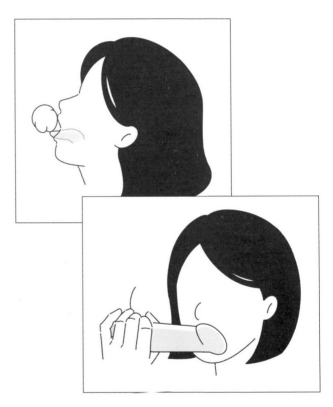

위 그림처럼 입을 벌리고 혀를 내밀어 혀의 앞면이나 뒷면을 음경 옆면에 대고 미끄러지듯 자극한다.

왕복운동을 할 땐 음경에 닿는 혀의 부위도 바꾸는 것을 추천한다. 예를 들면 음경 뿌리에서 귀두로 이동할 때는 혀의 앞면을 사용하고 내려올 때는 뒷면을 대는 것이다. 이 밖에도 혀를 날름거리며 핥아 이동하는 방법도 있다.

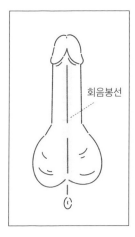

회음봉선

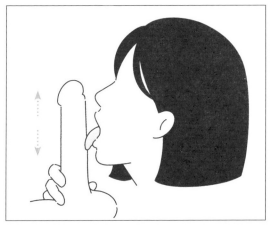

회음봉선은 회음에서부터 음낭과 음경 아랫부분을 지나 음경소대 까지 이어진다. 회음봉선에는 신경이 모여있어 성적 민감도가 강하 기 때문에 파트너를 빨리 흥분상태로 만들고 싶다면 회음봉선부터 자극한다.

1 혀를 세워 회음봉선에 페더터치하듯 한 방향으로 핥는다.

2 회음봉선을 짧게 끊어서 핥는 방법과 길게 핥는 방법을 섞어 자극한 다.

3 음경 끝까지 핥은 후 음경소대를 핥아줄 때 혀로 살짝 팅긴다.

Tip!

한 방향으로 천천히 핥아 오르다가 갑자기 빠르게 핥고 내려오는 것처럼 속도로 자극의 변화를 주는 것도 좋다.

포경수술을 하지 않은 자지 애무하기

파트너가 포경수술을 하지 않아 발기했을 때 자연스럽게 벗겨지는 자연포경이라면 침이 충분히 있는 상태에서 혀로 포피를 부드럽게 벗기면서 자극을 줄 수 있다. 포피를 억지로 벗기거나 강하게 자극 하면 찌릿한 고통을 느낄 수 있으니 천천히 부드럽게 애무하는 것을 잊지 말자.

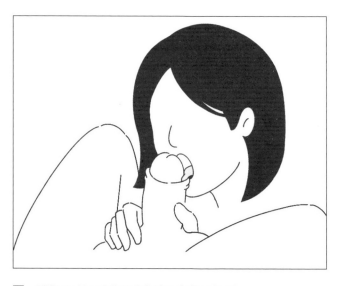

1️⃣ 혀끝으로 부드럽게 포피와 귀두 사이를 핥는다.

2️⃣ 포피 안으로 혀를 넣고 귀두 중심으로 천천히 돌린다.

3️⃣ 혀를 돌리면서 포피와 음경을 조금씩 벌려 벗긴다.

 음경소대 자극

포피가 벗겨진 상태의 자지라면 가장 민감한 성감대인 음경소대를 핥아보자.

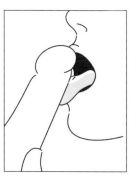

1️⃣ 파트너를 올려다보며 입을 벌리고, 혀를 넓게 내밀어 음경소대를 감싼다.

2️⃣ 시선을 파트너에게 고정한 후 길게 핥아 올리다가 혀끝에서 살짝 튕긴다.

3️⃣ 한 번 더 반복한다.

왕복운동

왕복운동은 펠라치오의 핵심 중 하나지만 포르노의 영향으로 부적절한 움직임을 학습해 펠라치오의 질을 감소시킨다. 효과적인 왕복운동을 위해서는 입 안의 점막과 자지를 밀착해야 한다. 왕복운동의 방법은 다음과 같다.

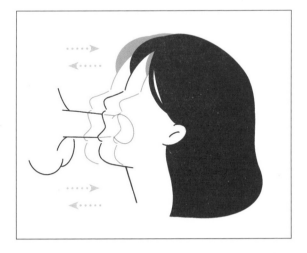

1 자지를 입에 넣을 때 혀로 귀두 전체를 감싸면서 머금는다.

2 양 볼을 살짝 오므려서 입 안의 점막과 자지를 밀착한다.

3 고개를 아래로 천천히 내리면서 귀두 머리가 입천장에 닿게 한다. 이때 너무 위로 올리면 윗니로 자지를 자극할 수 있으니 주의한다.

4 입 안 전체를 자지에 밀착한 상태에서 천천히 뒤로 빼면 자연스럽게 입 안에 음압이 걸린다.

5 위 과정을 일정한 속도로 반복하면 속도가 빠르지 않아도 좋은 쾌감을 줄 수 있다.

6 만약 여기서 좀 더 강한 자극을 주고 싶다면 스스로 인위적으로 흡입하여 음압을 더 걸면 된다.

7 왕복운동에서 뒤로 뺄 때 성감을 지속해서 유지하기 위해 최소한 자지와 구강 부위 중 한 곳이 계속 닿고 있는 것이 좋다.

Tip!

밀착하면서 너무 빠르지 않게 일정한 속도로 왕복운동을 하면 충분히 좋은 효과를 줄 수 있다. 이는 펠라치오를 비롯한 모든 섹스 테크닉에 적용된다.

중급 테크닉

중급 테크닉에서는 핥는 방식을 바꾸면서 동시에 손과 입, 침을 같이 사용하는 효과적인 펠라치오를 할 수 있도록 돕는다. 초급 테크닉과는 달리 바로 사정감이 들 수 있을 정도로 집중해서 자극하기 때문에 파트너의 반응을 살피는 것이 중요하다.

찌릿한
음경소대

음경소대

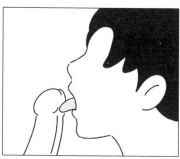

1 혀를 뾰족하게 세워 혀끝으로 음경소대를 핥는다.

2 강약을 조절하며 자극을 최대한 길게 이어나간다.

3 혀로 자극할 때 한 방향으로 하는 게 좋고, 혀를 날름거리며 아래에서 위로 핥을 때만 혀가 닿고 내려갈 때는 닿지 않는 것이 중요하다.

Tip!

음경소대 자극은 참기 힘든 좋은 쾌감을 준다. 다만 찌릿한 느낌이 고통처럼 느껴지는 사람도 있어 파트너의 반응을 살피자.

혀 돌리기

혀 돌리기는 음경소대와 귀두 머리끝을 함께 자극할 수 있는 기술로 다양한 자극을 줄 수 있다.

 Tip!

혀를 돌릴 때 왼쪽과 오른쪽 방향을 모두 교차하며 움직임을 주는 것이 좋다.

1 혀를 길게 내밀어 혀의 중심부가 귀두 끝에 닿도록 한다.

2 그림처럼 귀두 머리를 중심으로 혀에 힘을 주어 빙글빙글 돌린다.

귀두 처마 공략하기

귀두 처마도 집중적으로 자극받을 일이 없어 음경소대와는 다르게 색다른 쾌감을 줄 수 있다. 특히 69자세로 서로 오럴섹스를 할 때는 파트너의 자지가 뒤집혀 있어 혀의 테두리로 귀두 처마와 포피가 접하는 부위를 집중 자극하는 게 쉬워진다.

1 펠라치오를 하는 사람이 위로 올라가 69자세를 한다.

2 혀를 평평하게 펴서 혀 테두리를 귀두 처마에 댄다.

3 혀의 테두리로 귀두 처마를 따라 미끄러지듯 자극한다.

4 혀끝으로 왼쪽, 오른쪽 번갈아가며 자극한다.

5 다시 혀의 테두리로 귀두 처마를 미끄러지듯 자극한다.

6 위 과정을 반복한다.

요도 입구

요도 입구는 자위나 삽입 섹스 시 자극을 받지 않는 부위로 역치값이 낮다. 그래서 강도 조절을 하지 않으면 금방 통증으로 바뀔 수 있어 다음과 같은 연습이 필요하다.

 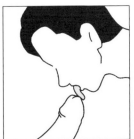 

1️⃣ 침 또는 요도에서 나온 쿠퍼액을 요도 입구 전체에 펴바른다.

2️⃣ 혀를 넓게 편 후 뒷면으로 요도 입구를 좌우로 문지르며 파트너의 반응을 살핀다. 이때 강한 반응을 보이면 계속 문지르고 반응이 없다면 다음 단계로 넘어간다.

3️⃣ 혀를 넓게 편 후 윗면으로 요도 입구를 감싸듯이 부드럽게 핥는다.

4️⃣ 더 강한 자극을 원하면 혀를 뾰족하게 세워 혀끝으로 요도 입구를 핥는다.

Tip!

요도 입구를 더 강하게 자극하고 싶다면 그림과 같이 요도 입구를 살짝 벌려 혀끝으로 조심스럽게 핥아보자. 사람에 따라 통증을 느낄 수 있기 때문에 파트너의 반응을 살피는 것이 필요하다.

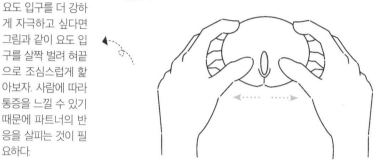

귀두의 성감대를 자극만 해도 사정감을 느끼는 사람, 찌릿한 느낌으로 불편함을 느끼는 사람, 사정감을 느끼진 않지만 혀의 부드러움을 바로 느끼고 싶은 사람 등 다양하다. 민감한 부위일수록 파트너의 반응을 지속적으로 살피면서 자극하는 것이 중요하다.

손을 활용한 기술

입이나 혀 만으로 파트너를 사정하게 만드는 건 굉장히 어려운 일이다. 이때 손을 활용하면 오래, 더 다양하게 자극을 줄 수 있다.

▶ **오케이 잡기**

오케이 잡기는 가장 기본적인 핸드잡 기술이다.

① 엄지와 검지로 음경을 감싸 쥔 상태로 손을 위아래로 부드럽게 움직인다. 이때 나머지 손가락은 자연스럽게 음경을 감싼다. 오케이 잡기는 다음 그림과 같이 방향에 따라 느낌이 달라진다.

41

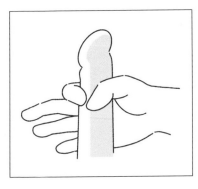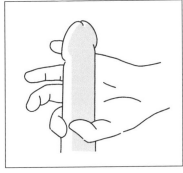

② 엄지와 검지가 위로 향하는 정방향은 평소 남성이 자위하는 방법과 같고, 역방향으로 자지를 감싸 쥐면 정방향으로 하는 것보다 압박이 세게 느껴지지만 자세가 쉽지 않은 것이 단점이다.

▶ 회전하는 오케이 잡기

오케이 잡기가 익숙해지면 오케이 잡기 모양 그대로 왕복운동을 하면서 손목을 활용해 좌우로 돌려 자극하자.

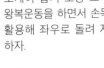

C 퀵 핸드로 자극하면 음경의 회음봉선을 포함해 좀 더 적은 부위에 집중적인 압박과 마찰을 줄 수 있고 비어있는 공간이 더 많이 생기기 때문에 입이나 혀로 복합적인 자극을 주기가 쉽다.

▶ C 퀵 핸드

오케이 모양을 유지하기 어려울 때는 엄지와 검지, 중지의 지문부를 활용한 빠른 핸드잡으로 응용이 가능하다.

그림처럼 엄지는 음경 뒷면 가운데에, 검지와 중지는 음경 윗면 가운데에 두어 알파벳 C 모양처럼 잡고 음경 뿌리에서 귀두까지 지문부로 부드럽게 왕복운동하는 방법이다.

▶ 오케이와 동시에 혀로 자극하기

오케이 잡기로 왕복운동을 유지하면서 혀로 음경소대를 포함한 귀두 전체를 자극하면 빠르게 사정감이 든다.

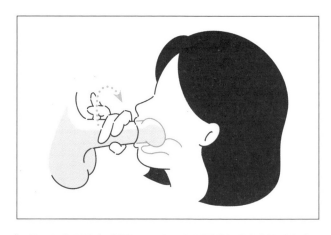

① 오케이 잡기 정방향으로 파트너가 흥분할 때까지 일정한 속도로 왕복운동한다.
② 왕복운동과 동시에 혀로 양쪽 음낭을 핥는다.
③ 혀로 회음부까지 내려와 핥고 동시에 회전하는 오케이 잡기로 자극에 변화를 준다.
④ 일정 시간이 지나 파트너의 반응을 확인하되, 핸드잡은 멈추지 말자.
⑤ 오케이 잡기에서 C 퀵 핸드로 바꾼다. 속도는 일정하게 하며, 손가락이 귀두에 닿지 않도록 한다.
⑥ 혀끝으로 찌릿하게 음경소대를 자극하다가 혀의 뒷면으로 요도 입구를 자극한다.

Tip!

더 강한 자극을 주고 싶다면 혀끝으로 요도 입구를 자극하자.

입과 혀 기술

입을 활용한다는 것은 [기본 테크닉] 편에서 소개한 호흡, 치아, 시선, 침, 혀 모양 등이 입 안의 점막, 악관절 및 목, 근육의 움직임과 함께 어우러지는 기술을 말한다.

▶ 음낭 머금기

음낭을 입에 넣고 있으면 구강 점막과 혀의 부드러움을 그대로 느낄 수 있다. 음낭은 쉽게 통증을 느끼는 부위라서 천천히 부드럽게 자극하며 압력을 조절해야 한다. 또한 음낭을 머금은 상태에서는 입에 여유 공간이 없어 입으로 숨을 쉬기가 힘드니 코로만 숨을 쉬는 것이 좋다.

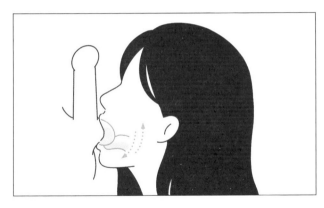

Tip!

혀 안쪽 근육으로 음
낭을 조이는 것에 포
인트를 두며, 음낭을
과도하게 목구멍 안
쪽으로 넣어 위험한
일이 발생하지 않도
록 주의해야 한다.

① 한쪽 음낭을 입에 넣고 혀로 가볍게 문지른다. 음낭은 쉽게 통
   증을 느끼는 부위라서 천천히 부드럽게 압력을 조절해야 한다.

② 고환을 중심으로 천천히 혀를 굴린다. 혀를 좌우로 움직이거나
   작은 원을 그려도 좋다.

③ 음낭을 입에 물고 있는 게 익숙해졌다면 입을 더 크게 벌려서
   깊숙하게 빤다.

④ 음낭을 입 안에 넣은 상태로 조심히 침을 삼키면 혀 안쪽 근육
   이 음낭을 부드럽게 조인다.

▶ 뱀처럼 낼름거리기

| 입 안에 자지를 넣고 왕복운동하면서 동시에 진행하기 좋은 기술이다.

Tip!

입 안 내부가 자지와
밀착되어 음경소대
와 귀두 밑면을 수월
하게 자극할 수 있다.

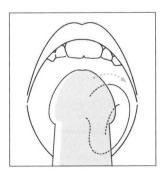
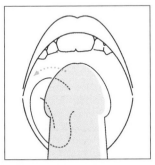

① 입 안에 침이 충분히 고인 상태에서 자지를 입에 넣고 그림과
   같이 혀를 좌우로 천천히 움직인다.

② 혀의 움직임이 익숙해지면 동시에 입을 오므려 왕복운동을 한
   다. 이를 통해 파트너는 압박감과 마찰감을 강하게 느끼며 강
   한 쾌감을 느끼게 된다.

▶ 포경수술을 하지 않은 자지 포피로 자극하기

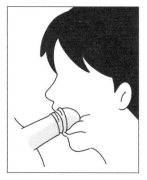

① 포피를 당겨 모은 상태에서 입 안에 넣는다. 이때 입술로 포피가 벗겨지지 않게 고정하듯 문다.

② 자지를 입 안으로 더 깊이 넣어 자연스럽게 포피가 벗겨지면 노출된 귀두를 혀로 부드럽게 자극한다.

③ 한 손으로 음경을 오케이 잡기나 C 퀵 핸드로 잡고 말려 내려간 포피를 위로 올린다.

Tip!

포피에 감싸진 자지는 포경수술을 한 자지보다 귀두가 더 민감하기 때문에 포피를 억지로 벗기거나 강하게 자극하면 찌릿한 고통을 느낄 수 있으니 천천히 부드럽게 애무하는 것을 잊지 말자.

④

고급 테크닉

기본부터 초급, 중급까지 좋은 펠라치오를 위한 기본기를 익혔다. 이제 조금 더 복합적이고 어려운 기술을 통해 최고의 펠라치오에 도달해보자. 고급 테크닉은 꾸준한 연습과 실습이 필요하다는 것을 참고하자.

음낭과 함께 자극하기

1 그림처럼 음낭을 손으로 받치거나 주무르면서 귀두를 입 안에 넣는다.

2 입으로 자극하는 기술은 자유롭게 하며, 음낭은 가볍게 마사지하거나 페더터치로 부드럽게 자극한다.

3 다른 한 손은 회음부나 항문을 자극한다.

45

4 자지의 흥분도가 높아지면 음낭을 만지던 손으로 C 퀵 핸드를 한다.

5 귀두를 입 안에 넣고 왕복운동과 동시에 혀를 굴리며 자극한다.

6 파트너의 반응을 살피며 자극의 강도를 조절한다.

Tip!

사정을 유도하고 싶을 때는 귀두를 입에 넣고 윗 입술은 귀두 머리를, 혀는 음경소대 끝을 강하게 압박한다. 이때 엄지손가락 지문으로 회음봉선을 가볍게 위아래로 문지른다.

혀로 파도타기

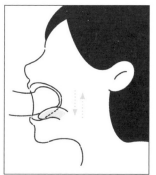 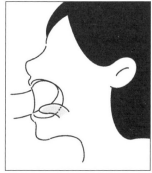

1 자지를 입에 넣고 혀를 위아래로 파도타기 하듯 움직인다.

2 혀의 움직임이 익숙해지면 입을 오므려 파도타기 하듯 움직인다. 자지에 압박감과 마찰감을 준다.

Tip!

이 기술 역시 음경소대와 귀두 밑면에 역동적인 자극을 줄 수 있고, 입천장의 압박과 마찰을 통해 귀두 머리도 같이 자극할 수 있다. 그리고 볼 안쪽 점막이 닿아 여러 가지 자극을 한 번에 줄 수 있다.

| 얼굴과 상반신 전체가 움직이면서 전체적으로 자극이 강해진다.

1 혀와 입천장 사이에 귀두를 고정하면 고개는 자연스럽게 아래로 내려간다. 이때 자지가 입 안에서 움직일 수 있는 내부 공간을 확보해야 호흡이 편하다.

2 귀두가 입천장을 따라 목구멍 전까지 미끄러지는 느낌으로 넣는데 이때 고개와 시선은 자연스럽게 위로 올라간다. 고개와 시선을 위로 올릴 때 '혀로 파도타기' 기술도 함께 사용한다.

3 멈추지 말고 다시 귀두가 입천장을 따라 앞니 뒷면까지 미끄러지는 느낌으로 빼고 고개와 시선은 다시 아래로 내린다.

4 위의 과정을 반복하면 자연스럽게 머리와 목으로 파도타기를 하는 느낌이 든다.

Tip!

혀와 입천장이 회음봉선부터 귀두 머리, 처마에 다양한 자극을 준다. 조금 더 여유가 있다면 얼굴을 위로 올릴 때는 입술 한쪽을 열어주고 아래로 내릴 때는 입술을 완전히 다물면 음압이 걸리면서 자연스럽게 입 안의 점막이 자지에 밀착되고 자극이 강해진다.

오케이 + 회전
+ 왕복 총동원

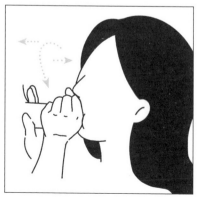
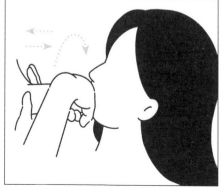

1 상체가 자유롭게 움직일 수 있도록 안정적인 자세를 잡는다.

2 오케이 잡기로 자지를 잡는다. 이때 몇 개의 손가락으로 잡을지는 파트너의 자지 길이에 따라 선택한다. 단 자지를 잡고 나서 입으로 왕복운동을 할 길이는 남아 있어야 한다.

3 자지에 침이나 윤활젤 등을 충분히 바른다.

4 귀두에서 음경 뿌리 방향으로 얼굴 전체로 파도타기를 진행하고, 음경 뿌리에서 귀두로는 회전하는 오케이 잡기를 진행한다. 이때 테크닉은 절반씩 리듬을 맞춰 구사하고 손과 입이 서로 만날 때 되돌아간다.

Tip!

파트너의 자지가 커서 두 손으로 잡아도 왕복운동을 할 수 있는 공간이 충분하면 양손으로 회전하는 오케이 잡기를 진행할 수 있다. 이때 각 손의 회전 방향을 서로 반대로 돌리면서 위 기술을 같이 사용하면 된다.

사정 시키기

많은 사람이 펠라치오로 파트너를 사정 직전까지 몰고 가지만, 사정 시키지 못하고 턱과 입만 아프게 끝나는 경우가 많다. 파트너가 사정하지 못하는 이유는 핵심 성감대와 적절한 자극 강도를 모르기 때문이다.

사람마다 사정하게 되는 역치값이 달라 자극의 강도와 시간도 제각각이다. 역치값이 높은 사람이라면 입과 혀, 손을 모두 활용하는 것이 중요하다.

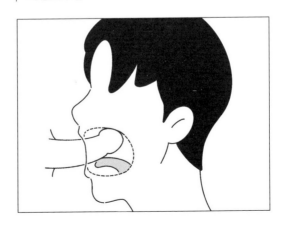

1 파트너의 자지가 고조기에서 절정기로 넘어갈 때 보이는 특징을 살핀다.

2 파트너가 사정할 것 같은 확신이 들면 귀두를 입에 넣고 오케이 잡기나 C 퀵 핸드로 빠르게 왕복운동을 한다.

3 귀두는 입 안의 점막에 밀착하는데, 이때 혀를 음경소대에 대고 위로 밀어 귀두 머리가 입천장에 닿게 한다.

4 손으로 왕복운동을 유지하면서 손가락으로 음경을 압박하고 혀로 음경소대를 자극한다.

5 회음봉선의 자극, 귀두의 압박, 각종 마찰과 일정한 왕복운동이 더해져 역치를 넘게 되고 사정하게 된다.

Tip!

성감이 상대적으로 둔하거나 사정 조절을 잘하는 남성은 일반적인 마찰로는 사정이 어려울 수 있다. 이럴 땐 점도가 있는 윤활젤을 사용하는 것을 추천한다.

정액 활용하기

정액에 거부감이 없는 사람 중에는 정액을 먹거나 온몸에 바르는 등 정액을 다양하게 활용하기도 한다.

▶ **정액 알레르기 확인하기**

정액을 활용하기 전 자신이 정액 알레르기가 없는지 알아야 한다. 피부나 점막이 정액에 노출되었을 때 발진, 작열감, 팽윤, 고통, 두드러기, 가려움증과 같은 증상 중 하나 이상의 반응이 발생하면 정액에 알레르기 반응을 보이는 것일 수 있다.

정액 알레르기가 있는 사람이 정액을 입으로 받거나 삼키면 앞서 서술한 것과 같은 증상이 나타날 수 있고 알레르기 정도에 따라서 호흡 곤란, 천명, 현기증, 실신, 구역질, 설사 심하면 아나필락시스 쇼크와 같은 전신 증상이 나타날 수 있다.[18] 그래서 자신과 파트너 모두 사전에 이러한 증상이 있는지 파악해야 한다.

자신이 신체적으로 문제가 없고 파트너도 감염성 질환 대상자가 아니라서 정액을 통해 감염될 질환에 대한 걱정이 없다면 마음 편하게 정액을 활용할 수 있는 일차적인 조건이 갖춰진다.

▶ 동의 구하기

펠라치오를 하다가 입 안에 사정하는 것에 대해 반드시 서로 간의 합의가 선행되어야 한다. 정액을 입으로 받고 삼키는 것에 대해 거부감이 없고, 이를 즐기는 걸 미리 밝힌다면 문제가 없지만, 합의 없이 펠라치오 도중 갑자기 입 안에 사정하는 것에 동의를 구하는 것은 너무 늦다. 펠라치오를 하는 입장에서는 분위기를 깨지 않으려고 싫지만 어쩔 수 없이 정액을 받거나 삼키는 일이 많고 정액에 대한 거부감만 더 커질 뿐이다.

▶ 정액을 받는 요령

정액의 비릿한 향을 걱정하는 사람이 많다. 스퍼민(Spermin)은 공기와 만나 산화되면 정액 특유의 냄새가 나기 시작한다. 파트너가 사정하기 직전부터 자지를 입에 물고 있거나 입을 벌리고 있다가 파트너가 입 안에 사정을 하자마자 바로 삼키면 냄새로 고생하는 일은 없다.

정액의 맛은 비릿하게 느끼거나 달게 느끼는 등 개인에 따라 다르게 느끼고, 정액을 생산하는 사람의 조건에 따라 맛이 달라지기도 한다. 정액의 맛을 음미하고 즐기거나 특유의 맛과 향에 의해 성적으로 흥분하는 사람은 상대적으로 적다. 대부분 정액을 삼키고 싶어도 특유의 맛과 향, 미끌거리는 질감 때문에 바로 뱉는다.

식습관과 정액의 맛이 연관성이 있다는 연구가 예전부터 진행되어 왔고 어느정도 그 연관성이 정립되었으며 사정 플레이를 즐기는 사람들은 파트너를 위해 식습관에 신경을 쓰기도 한다.

보통 정액의 맛과 향은 48~72시간 전에 섭취한 음식에 영향을 받는다고 알려져 있으며 현재의 맛과 완전히 달라지려면 약 4주가 걸린다.

정액의 성분 중 맛을 결정하는 성분은 결국 체액에서 기인한다. 음식 중 황 성분이 들어있는 마늘, 양파, 브로콜리, 아스파라거스, 육류 등은 정액의 맛과 향을 쓰게 만들며 셀러리나 파슬리, 파인애플, 오렌지, 귤 등은 정액의 산도를 좀 더 중성화시킨다.

하지만 이러한 방법은 시간도 오래 걸리고 의지가 있는 파트너가 없다면 적용하기 힘들다. 그래서 당장 임기응변으로 사용할 수 있는 팁을 공유한다.

SLS 특성을 이용한 정액 맛 바꾸기

대부분의 치약에는 SLS(Sodium Lauryl Sulfate)라는 계면활성제가 들어있는데, 미뢰에 있는 미각세포의 신경 말단과 닿으면 미각을 둔화시키거나 왜곡시킨다.[16]

양치나 가글 직후 음식을 먹으면 맛이 다르게 느껴지는 것처럼, 정액을 먹으면 특유의 비릿하거나 거북한 맛이 느껴지지 않는다. 정액을 삼키기 어렵다면, 펠라치오 전 양치를 해보자.

▶ **정액 쉽게 삼키기**

① 파트너가 사정하려고 하거나 사정하기 직전에 바로 자지를 입에 넣는다.

② 파트너가 사정하면 바로 삼킨다. 이때 정액 특유의 냄새가 싫다면, 숨을 쉬지 않고 삼킨다.

▶ **입과 얼굴에 정액 받기**

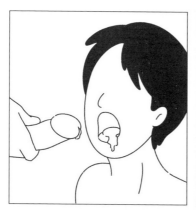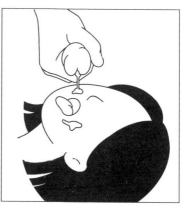

① 입과 얼굴에 정액을 받는다.

② 입 안에 들어간 정액을 그대로 보여줌과 동시에 혀로 맛보는 듯한 모습을 연출한다.

③ 얼굴에 묻은 정액은 손가락으로 찍어 입에 넣고 그대로 쪽 빤다.

▶ 정액 바르기

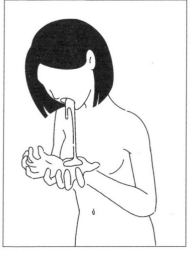 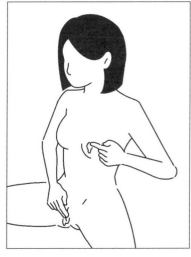

입 안으로 받은 정액을 손에 뱉어 자신의 가슴이나 젖꼭지, 배꼽, 성기 등의 신체 부위에 바른다.

▶ 자지에 묻은 정액 청소하기

① 자지에 묻은 체액을 부드럽게 핥고 나서 요도 입구에 입술을 대고 음료를 마시듯 정액을 빨아 삼킨다.

② 입 안에 들어온 정액을 삼키고 한 번 더 자지를 입 안 깊숙이 넣어 입술과 혀로 잔여물을 빨아 삼킨다.

Tip!

사정 후에는 자지 전체가 민감한 상태라서 부드럽게 핥아야 한다. 받는 사람은 사정 이후의 심리적 지배감을 느낄 수 있고, 하는 사람은 파트너에게 마지막까지 쾌감을 주었다는 성취감을 느끼게 된다.

과일 펠라치오

1 오렌지나 자몽, 한라봉, 천혜향 등 한 손으로 잡기 좋은 과일을 준비한다.

2 과일을 상온에 두어 주변 온도와 비슷하게 만든다.

3 과일의 중간쯤을 가로로 잘라 링의 형태로 만들고 가운데 심지를 제거하여 자지가 들어가게 한다.

4 자지에 과일 링을 끼우고 회전 왕복운동을 하며 동시에 입으로 왕복운동을 한다.

5 앞서 서술한 오케이 + 회전 + 왕복운동을 총동원한 방법으로 진행한다. 이렇게 하면 과일즙이 더해져 맛을 즐기면서 펠라치오를 할 수 있다.

69 펠라치오

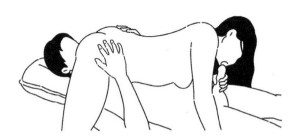

69자세에서는 펠라치오를 하기가 쉽지 않다. 위에 있는 사람이 자세를 계속 유지하기가 어렵기도 하고, 자지가 반대로 향해 있어 자칫 잘못하면 자지가 꺾일 수 있으니 주의가 필요하다. 이 기술은 이성과 동성 파트너에 따라 다르기 때문에 성별을 구분 지어 표기했다.

1 남성은 목뒤로 베개를 높게 받쳐 눕는다. 이때 키 차이가 많이 나면 베개 높이를 조절한다.

2 여성은 남성 얼굴에 보지를 대고 69자세를 잡는다.

3 동성 파트너일 경우 서로가 옆으로 누워서 자유롭게 펠라치오를 한다.

Tip!

여성이 누운 상태로 하는 69 펠라치오는 여성이 계속 머리를 들고 고개를 움직여 자지를 빨아야 하고 남성도 커닐링구스를 효과적으로 구사하기 어렵기 때문에 추천하지 않는다.

3점 자극

멀티태스킹에 능숙하다면 입과 양 손을 이용한 3점 자극 테크닉을 시도해보자. 자지를 입에 물고 한 손으로 왕복운동을 하며, 다른 손으로 항문을 자극하는 기술이다. 3점 자극 테크닉을 통해 음부 신경에서 갈라져 나오는 신경 회로를 모두 자극할 수 있어 파트너에게 강한 자극을 줄 수 있다.

Tip!

항문을 손가락에 넣기 전 손톱을 확인한다. 날카로운 손톱이 항문에 상처를 입힐 수 있으니 손톱이 길다면 사전에 다듬을 필요가 있다.

1 항문을 자극하려는 손가락에 침이나 윤활젤을 충분히 바른다.

2 손가락으로 괄약근을 충분히 마사지하고 파트너의 반응을 보면서 천천히 삽입한다.

3 파트너의 반응이 괜찮다면, 손가락을 넣은 상태로 핸드잡과 펠라치오를 동시에 진행한다.

4 항문이 많이 이완된 상태라면 손가락을 돌리면서 왕복운동을 한다.

5 만약 항문 삽입에 거부감을 보이면 삽입하지 않고, 괄약근을 손가락으로 애무하거나 회음부를 엄지손가락으로 누르면서 자극한다.

러스티 트럼본

파트너가 후배위 자세를 취한 상태에서 혀를 이용하여 항문과 음낭을 자극하는 방법으로 영미권에서 '러스티 트럼본'이라는 이름으로 불린다. 보는 사람에 따라 펠라치오 기술로 보거나 항문 자극을 위한 애무법으로 보기도 한다.

1 파트너를 후배위 자세로 엎드리게 한다.
2 한 손으로 파트너의 엉덩이를 벌려 항문과 음낭을 혀로 핥고, 다른 손으로 동시에 핸드잡을 한다.

이루마치오

받는 사람이 하는 사람의 머리를 손으로 잡아 삽입 섹스를 하듯이 왕복운동하는 방법이다.[19] 이루마치오는 하드코어한 플레이로 사전에 서로 간의 합의가 있어야 한다. 특히 펠라치오를 받는 사람이 너무 흥분하면, 파트너를 신경 쓰지 못하고 깊이 삽입하여 목구멍 안쪽까지 넣어 헛구역질이나 눈물이 날 수 있어 주의가 필요하고 이를 방지할 수 있도록 미리 세이프 시그널을 정해야 한다.

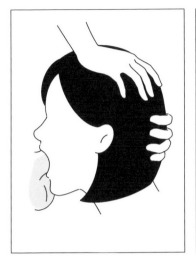
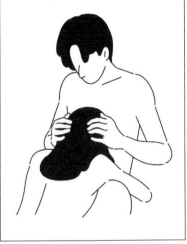

1 하는 사람은 자지가 입 안에 들어올 때, 치아가 닿지 않게 조심한다.

2 입에 자지가 들어왔다면 볼 안쪽을 오므려서 밀착하고, 코나 입으로 잘 호흡하도록 한다.

3 안전하게 이루마치오를 하기 위해서는 자지가 과하게 들어오지 못하도록 두 손바닥을 파트너의 서혜부에 대고 간격을 조절하거나 음경 뿌리를 '오케이 잡기'로 잡고 시작하는 것이 좋다.

세이프 워드와 시그널 정하기

세이프 워드는 BDSM에서 사용하는 단어로, 플레이 중 한계에 도달할 때 이를 파트너에게 알리는 커뮤니케이션이다. 다만 이루마치오 중에는 말을 할 수 없기 때문에 세이프 워드는 적합하지 않고, 땅바닥이나 벽 또는 파트너의 허벅지를 2번 세게 치는 등의 세이프 시그널(행동)을 정해야 한다.

딥스로트

펠라치오 기술 중 가장 고난이도에 속하는 딥스로트는 귀두와 주변 부위가 목구멍 너머 입인두까지 진입하면서 혀의 근육과 후두덮개, 인두에 의해 강하게 조여진다. 반드시 할 필요는 없지만 도전하고 싶은 이를 위해 소개한다.

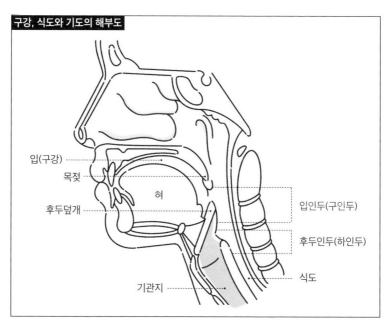

구강, 식도와 기도의 해부도

입(구강)
목젖
후두덮개
혀
입인두(구인두)
후두인두(하인두)
기관지
식도

▶ **딥스로트 전 사전연습**

딥스로트를 위해서는 목구멍을 여는 방법을 익혀야 한다. 그래서 실제 자지와 비슷한 사이즈의 딜도로 연습하는 것이 좋다.

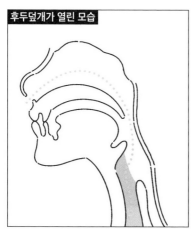

후두덮개가 열린 모습

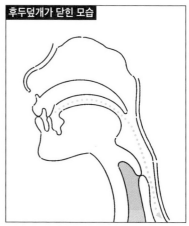

후두덮개가 닫힌 모습

① 목구멍을 연다는 것은 큰 용량의 음료를 연속으로 벌컥벌컥 들이마실 때와 같다. 머리를 위로 들고 물 500ml 이상을 한 번에 마시는 연습을 해보자.

② 목구멍을 여는 게 익숙하다면, 침을 충분히 모아 딜도 전체에 바른 후 고개를 뒤로 젖히고 목구멍 안쪽으로 부드럽게 넣는다. 딜도를 자연스럽게 삼키며 목구멍은 계속 열어둔다.

▶ 파트너와 딥스로트 처음 시작하기

딥스로트를 처음 할 때는 침대에 누운 채로 고개를 뒤로 젖히는 자세를 권장한다. 평소 구강과 목구멍의 인두는 직각 형태인데 고개를 뒤로 젖히면 일직선으로 정렬되고, 혀의 뒤쪽 근육을 이완시켜 목구멍을 열어주면 딥스로트가 수월하다.

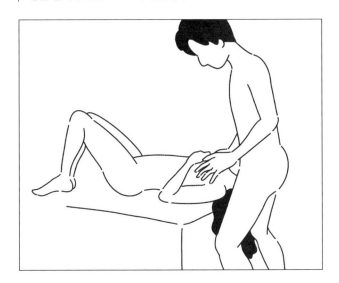

① 딥스로트를 하는 사람은 침대에 누워 목을 바깥으로 빼고 고개를 뒤로 젖힌다.

② 파트너의 자지를 입에 넣고 코로 숨을 쉬면서 천천히 자지를 안으로 넣는다.

③ 자지를 넣을 수 있을 만큼 넣고 천천히 침을 삼킨다. 힘들면 잠시 멈추고 코로 숨을 쉰다.

④ 숨이 안정되면 다시 시도한다.

⑤ 익숙해지면 파트너에게 신호를 보내 천천히 후퇴하게 한 후 다시 삽입한다.

⑥ 딥스로트에 대한 요령이 생기면 이제 본인이 편한 자세로 할 수 있게 된다.

▶ **본격적인 딥스로트를 위한 가이드라인**

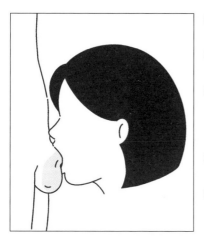

① 딥스로트는 하는 사람이 자기주도적으로 이끌어가야 다치지 않는다.

② 구토 반사에 의해 분비되는 침을 윤활젤처럼 활용하자.

③ 자유롭게 입 안에 자지를 넣고 왕복운동을 지속하면서 자신의 페이스에 따라 목구멍의 깊이를 조절하면 된다. 특히 코로 숨 쉬는 것에 익숙해지는 것이 중요하다.

④ 목구멍과 인두의 조임, 마찰을 지속적으로 가하며 왕복운동을 계속하면 사정시킬 수 있다.

⑤ 딥스로트 중 파트너가 사정하면 목구멍 너머로 자지를 깊숙이 넣어 정액을 바로 삼키거나 자신이 편한 위치에서 정액을 삼킨다.

참고문헌

[1] Janell L. Carroll (2009). Sexuality Now: Embracing Diversity. Cengage Learning. pp. 265-267

[2] https://en.wiktionary.org/wiki/fellatio

[3] Wayne Weiten, Margaret A. Lloyd, Dana S. Dunn, Elizabeth Yost Hammer (2008). Psychology Applied to Modern Life: Adjustment in the 21st century. Cengage Learning. p. 422

[4] Nilamadhab Kar, Gopal Chandra Kar (2005). Comprehensive Textbook of Sexual Medicine

[5] Robert Crooks, Karla Baur (2010). Our Sexuality. Cengage Learning. p. 241.

[6] Janet Hyde and John DeLamater (2020) Understanding Human Sexuality

[7] https://www.issm.info/sexual-health-qa/what-is-a-prostate-induced-orgasm/

[8] 동양의학대사전편찬위원회, 경희대학교출판국 (1999) 동양의학대사전

[9] Mann, T (1954). "The Biochemistry of Semen". London: Methuen & Co; New York: John Wiley & Sons.

[10] Guyton, Arthur C. (1991). Textbook of Medical Physiology (8th ed.). Philadelphia: W.B. Saunders. pp. 890-891

[11] Harvey, Clare (1948). "Relation between the Volume and Fructose Content of Human Semen". Nature. 162 (4125): 812.

[12] Owen, D. H.; Katz, DF (2005). "A Review of the Physical and Chemical Properties of Human Semen and the Formulation of a Semen Simulant". Journal of Andrology. 26 (4): 459-69.

[13] F. Madeo, T. Eisenberg, F. Pietrocola, G. Kroemer, Spermidine in health and disease. Science (2018) 359:2788

[14] Frank Madeo, Didac Carmona-Gutierrez, Oliver Kepp and Guido Kroemer, Spermidine delays aging in humans (2018) Aging, 10(8): 2209-2211.

[15] World Health Organization (2003). Laboratory Manual for the Examination of Human Semen and Semen-Cervical Mucus Interaction, 4th edition. Cambridge, UK: Cambridge University Press. p. 60

[16] Klein, David (2013). Organic Chemistry (2nd ed.).

[17] Bilal Chughtai, Ahmed Sawas, Rebecca I. O'malley, Rohan R. Naik, S. Ali Khan, Srinivas Pentyala, A neglected gland: a review of Cowper's gland, International journal of andrology, 2005, 28:74-77

[18] https://www.issm.info/sexual-health-qa/what-is-a-sperm-allergy/

[19] "irrumatio in Sex-Lexis". Archived from the original on 2018-09-30. Retrieved 2009-07-07.

HOW TO | 펠라치오

지은이   레드홀릭스
펴낸곳   Infuse Lab
발행일   2023년 9월 14일 초판 발행
주소   서울특별시 마포구 월드컵북로6길 26, 4층
이메일   red@redholics.com
ISBN   979-11-980278-1-8